클레이의 정원

클레이의 정원

장현정 지음

들어가며

누구나 자신만의 생각의 뜰이 있을 것이다.
클레이는 그러한 우리 자신이다.

혼자서 가만히 우리의 내면을 들여다보면
우리는 클레이의 정원에 초대된다.

무슨 생각을 하든
이 정원에서는 그러한 자신과 함께 거닐기이다.

클레이의 정원에서
자신을 만나고 자유롭게 거닐기를.

1

그 어떤 눈물도 허투루 생겨난 게 아니다.
마음의 깊음이 터져 나온 것이다.
마음이 쌓이고 쌓여 더 이상 쌓을 공간이 없을 때
눈물이 흘러나온다.

가끔은
모든 것에 지쳐서 눈물을 닦아내기도 한다.

눈물은 출구이자 삶의 진실이다.

2

빛난다는 것은 그 속에 연료의 고통을 가지고 있기 때문이다.
온전히 빛나기 위해서
내면을 온전히 태운다.
삶을 세우기 위해서 모으고 모은 것들을 태운다.

삶이 아름다운 이유는
그 삶을 위해 노력한 순간들이 있고
또 그 순간들이 온전히 태워졌기 때문이다.

그렇게 삶은 온전해지고 빛난다.

3

더는 아프지 않다.
일부러 치료하려 한 건 아닌데
더는 내 마음을 쿡쿡 찌르지 않는다.

기억이 흐려져서 그럴 것이다.
때때로 나를 찌르던 기억.
기억은 수채화 물통 속에서 흐려져 버리고

나는 새하얀 미소를 짓는다.

4

오랜 기다림이 있었다.
내 삶을 새로운 기쁨으로 채울
삶의 조각들이 모자이크를 만들고
마침내 내 삶이 제 모습을 나타낸다.

어떤 의미 혹은 무의미
그 모든 것이 융합되어 오늘의 삶이 되었다.

하나의 삶의 완성이다.
내일부터는 새로운 조각들을 모으려고.

5

자기 삶을 살아간다.
자신이 선택하고 정의 내린 삶을 살아간다.
매 순간 자신을 온전히 이룬다.

삶은 그렇게 완성되고
그러한 과정을 통해 자신은 성장한다.

오롯이 자신만의 삶을 살아간다.

6

삶의 한가운데를 지난다.

지난날 선택한 일들은 이제 농익은 결과를 가져다주었다.
그 과실을 한 입 베어 물다.
물이 많고 달콤한 그 과실은
삶의 한가운데에서 얻은 첫 수확이다.

수확이란
노력과 애씀, 그리고 약간의 행운이 만드는 것.

7

내가 존재하고 있음은
퍽 큰 감동을 준다.

무언가를 하지 않아도
있는 그대로의 나 자신이 어느 시공간에 존재하고 있다는 것.
그래서 오히려 무언가가 되고 싶어진다.

그 시작은
가장 의미 있는 일을 해내는 것.
그래서 존재함의 이유가 설명되는 것.

8

한없이 슬픈 날이 있다.
그 무엇도 손에 잡히지 않고 눈물도 마르지 않는다.
지금까지의 모든 내면의 고통이 솟구쳐 올랐기 때문이다.

저녁이다.
계속 흘린 눈물 탓에 탈진했다.

한편으로는 잘 울었다는 생각이 든다.
내 의지로는 비울 수 없었던 감정의 무더기를 비울 수 있어서.

9

어떤 삶도 사소하지 않다.
그 사람만의 선택이며 내용이므로.
자기 삶의 모습을 계속 더해간다.
그렇게 자기가 무엇을 추구하는지 알게 된다.

시간이 흐르고 우리는
자신의 삶이 어떤 의미에서 완성되었음을 안다.

매 순간 최선을 다한 삶이었다고.

10

겨울의 초입,
따뜻한 난로를 켜고
거실 소파에 앉아 책을 읽는다.

마음은 온통 책 속의 단상들이다.
마음을 빼앗겨 버릴 만큼 멋진 생각들이 존재한다.
그 생각 속에 푹 잠긴다.

그렇지.
나도 이렇게 생각하고 이렇게 살아야지.

11

빛나는 청춘의 시절이었다.
무언가를 계획하고 해낼 때도 서툴렀다.
그럼에도 시도만으로도 멋진 날들이었다.

무언가를 해낸 것이 아니라
무언가를 시도하는 것.

시간이 흘러 그것이
진정한 삶을 위한 양분이 될 줄이야.

12

많은 시련을 겪었다.
어떤 시련은 오히려 시련이 아니라
성장을 위한 열쇠였다.
그렇게 예기치 않은 방향으로 성장했다.

삶은 계획대로 가지 않는다.
삶의 낯선 초대에 응할 마음이 있다.

그렇게 삶의 이것저것을 맛본다.

13

사랑을 내려놓느라 탈진했다.
마지막으로 버리기 위해 하나하나 되새겼기 때문이다.
내려놓은 손끝,
비로소 떠난 마음.

잘 보냈다.
사랑 후의 그리움마저 잘 보냈다.

비로소 혼자가 된 지금,
피로하다.

14

무언가를 이루기 위해 노력을 기울인다.
충분히 노력했기에 그 과제를 완수한다.
그리고 다음 과제를 설정한다.

삶은 도전의 순간들로 이루어져 있다.
과제 설정과 해내기의 연속이다.

오늘도 무언가에 도전하고 해낸다.

15

하루 중 자신만의 시공간을 갖고
자신의 일상을 돌아본다.
좀더 노력해야 할 것과 내려놓아야 할 것을 분류하고
온전히 자신만의 순간을 누린다.

그 속에서 자신을 향유하기도 한다.
예쁘고 애달픈 자신을.

그렇게 오늘 하루도 자신을 사랑한다.

16

저녁이 되었다.
밖의 어둠을 응시하며 이런저런 생각을 한다.
후회되는 일이 자꾸만 떠오른다.
모든 걸 완벽하게 해낼 수 없다며 자신을 위로한다.

나에게 건네는 나의 위로.
소주 한 잔 같다.

밤은 깊어가고 나는 괜찮아졌다.

17

꽤 오래 혼자였다.
내가 정의하는 내 삶을 살길 바랐다.
그렇게 사느라 결국 혼자가 되어 버렸다.
그것이 부정적인 건 아니다.

내가 원하는 삶을 살았다.
그 삶이 나를 세워주었다.

혼자지만 내 삶을 산다.

18

때로 의도하지 않은 길에 서 있음을 발견한다.
잘못된 것이 아니라 삶의 변수 때문이다.
상황을 면밀하게 살피고 새로운 계획을 세운다.
그 상황은 실패가 아니고 조정해야 할 기회다.

결국 자기가 원한 곳에 닿는다.
이렇듯 자기 성공을 위해서는
앞이 보이지 않는 길을 계속 걸어야 한다.

그리고 자기 성공 외에도
삶은 다채로운 성공을 준비하고 있다.

19

상황을 바꾸는 것은 생각의 힘에 의해서다.
도전과 결정이 이어지고
지금 해야 할 일을 추려낸다.

그 하나에 집중한다.
그 하나를 체계적인 생각으로 조직한다.

그럼으로써 그 일을 해낸 것이다.

20

무언가에 간절할 때가 있다.
꼭 이루고 싶다.
목표를 위해 내가 할 수 있는 것을 생각한다.
어떤 목표는 이룰 수 없다고 결론을 내린다.

그렇다. 할 수 있으며 간절한 무엇.
일의 과정을 어림잡고는 바로 착수한다.

곧 좋은 소식이 들려올 것이다.

21

카페의 시간을 보내는 사람이 늘었다.
저마다의 목표를 가지고 카페를 찾는 사람들.
휴식을 위해, 가벼운 공부를 위해,
친구와 만나 이야기하기 위해서 등등.

자기만의 카페 문화를 만들 수 있다.
쉬어가는 일상을 위해 혹은 계획을 세우는 장소로서.

그렇게 저마다의 카페의 시간이 흘러간다.

22

저녁이다.
하루 중 구별된 나만의 시간이다.
읽고 싶었던 책을 읽거나, 생각을 전개하고,
약간의 상상을 한다.
결국 그 시간은 하루의 시간 쓰기에 관해서다.

삶의 구체적인 내용이 잉태되는 시간이다.
저녁의 잠깐 멈춤은 삶의 전체를 품는다.

저녁의 시간이 중요한 이유다.

23

한 번의 삶이고 자기 자신만의 삶이다.
자신만의 유일한 삶을 살기로 마음먹는다.
어떤 모습으로 채워갈지 고민하고 노력한다.

다른 사람의 삶을 참고할 수는 있어도
어느 순간 우리는 자기만의 삶을 살 것을 요청받는다.

자신을 탐구하고 자기 삶을 살아낸다.

24

세상과 타인에 대해 따뜻한 시선을 가진다는 건
세상과 타인을 따뜻하게 하는 일이다.
아주 조금의 따뜻함일지라도
세상은 훈훈해지고 타인은 서로 가까워진다.

따뜻함을 만드는 삶에겐
차가운 허무주의를 찾아볼 수 없다.

마음의 자세가 곧 세상을 바꾼다.

25

한 명의 인간은
스스로가 자신을 처음 인식했을 때,
비로소 자기만의 삶을 탐구하기 시작한다.

보이지 않는 가능성들 중에서
가장 자기다운 모습을 선택하고 노력을 더한다.

그래서 어느 밤하늘, 나의 별이 어둠 속에서 빛나게 되기를.

26

삶의 조각들을 모으면
자기 삶이 된다.
그것은 능력, 기억, 의지에 대해서다.
온전한 자기 모습에 대해서다.

지지 않는다.
나의 모습을 부정하려는 존재들로부터.

오늘 하루도 온전히 내 삶을 산다.

27

자신을 사랑하는 법을 배운다.
잘 씻고, 잘 치장하고, 그리고 자신만의 시간을 갖는 것.
정말 자신에게 집중하는 법을 아는 것.
자신이 원하는 것에 귀를 기울일 줄 아는 것.

약간의 치고 나가는 용기가 필요하다.
무언가를 해내고자 하는 의지가 필요하다.

자신을 탐구하고 그 길을 간다.

28

어떤 삶이 정답인지는 정해져 있지 않다.
인간은 청년의 시기가 되면 자기 개성화의 과제가 주어진다.
즉, 나를 인식하고
내가 해야 할 일에 대해 스스로 탐구해야 한다.
어둠 속에 숨겨져 있는 나를 찾는 일이다.

그러한 추구와 발견 속에서
자기가 할 일을 생각해내야 한다.

자기 삶을 사는 일이다.

29

살아있는 시간 동안
자신이 가치와 의미를 두는 일에 시간을 써야 한다.
삶의 완성을 향하여
그렇게 뚜벅뚜벅 자기 인생을 살아야 한다.

작은 실패들과 소소한 즐거움 속에서
자신의 길을 걸어간다.

목표는 성공이 아니라
자기가 살고자 하는 대로 살아내는 것이다.

30

삶을 무엇으로 채워야 하는가에 대해
어느 순간 답을 해야 한다.
자기 삶의 주요 내용에 대한 것이다.

좋아하는 것 - 그러면 된다.
잘하지 못해도 좋아하는 것이면 된다.

좋아하면 시간을 내어 연습할 수 있고
그래서 잘하게 될 가능성이 커지기 때문이다.

31

사랑과 함께 자기 삶이 중요하다.
사람은 태어난 이상 자기 삶을 완수할 의무가 있고
그 과정에서 자기 노력을 온전히 자기 삶에 쏟는다.

사랑은 동반자이고 목적을 향해 함께 걷는다.
그렇게 사랑은 서로의 삶을 응원한다.

자기 길을 이해하는 사랑이 진정한 이유다.

32

자신의 삶이다.
자신이 살아내야 할 자신의 삶이다.
유일하고 한 번이며 다시 오지 않을 순간들이다.

하루를 보내는 자기만의 방식을 만든다.
온전히 하루를 살아낼 그러한 방식을 생각한다.

그것은 내면을 사용하는 방식이다.

33

저녁 시간이다.
하루의 분주함이 가라앉고
자신을 위해 구별된 시간을 맞이한다.

커피 한 잔과 책상, 의자, 노트, 볼펜,
그리고 약간의 시간.

미래가 싹트고 인격이 정돈되는 시간.

34

그 어떤 실패도 무의미하지 않다.
시도하는 것도 처음이며, 그 일은 낯설다.
쉽지 않고 지치기도 한다.

다시 실패 앞에 섰다.
실패의 의미를 읽어본다.

지난번보다는 성장한 것 같다.
자신을 한 번 토닥여준다.

35

사랑 없이 삶을 살아야 할 때가 있다.
그건 잘못된 것이 아니다.
사랑은 삶에 있어서 선택이고
자기 삶을 살아내는 일은 본질이다.

물론, 사랑 없이는 감정을 채우기 어렵다.
자기만의 감정 돌봄의 시간이 필요하다.

그리고 약간은 싸늘한 자세로
자기 삶을 살아간다.

삶의 어느 순간 자기만의 삶을 살아야겠다고 생각한다.
자기 고독과 자기 의미의 인식이다.
자기 삶을 자신답게 살아내고자 한다.

자기 삶을 무엇으로 채워야 할지 고민한다.
제법 투쟁해야 그것을 알 수 있다.

그것은 자신이 낸 숙제를 매일 해내는 일이다.

37

사유와 행동의 기준은 스스로 세운 가치에 의해서다.
자신이 어떤 것에 의미를 두는지 알아야 한다.
그러한 가치 인식은 앞으로의 삶에 성숙을 가져온다.

사유와 행동에 기준이 있기 때문에
그것은 사회적으로 용납할만하고 개인적 성취도 이룰 수 있다.

삶의 어느 순간,
자기가 세운 가치가 무엇인지 물어야 한다.

모든 면에서 비교하지 않는 삶이 필요하다.
자기만의 삶을 추구하고 그렇게 살아간다.
삶에 자기 목적이 있는 한 그 삶은 부유하다.

자기 삶을 살아낸다.
온전히 자기 삶을 살아낸다.

자잘한 실패와 작은 성공이 반복되는.

39

죽음은 잔인한 것이지만
그렇기에 우리에게 시간의 유한성과 삶의 완성을 숙제로 낸다.
제한된 시간 동안 자기 삶을 살아내야 한다.

곁에 있는 사람들을 사랑하고
자기 일을 해나간다.

죽음이 다가오는 것을 직감한 어느 날,
자신이 살아온 삶에 대해서 시간과 화해할 수 있어야 한다.

40

자기 삶과 사유에 대해 정의를 내리려면
자신에 대한 관심과 자기 고독 속에서 길어 올리는
자신만의 시간이 필요하다.
혼자서 자신에 대해 직면해야 한다.

몇몇 정보들을 깨닫는 것만으로도
많이 진보한 것이다.

고독이 중요한 이유는,
그것이 자신을 고요하게 인식하는 시간이기 때문이다.

41

상대방이 의도를 갖고 접근한 거짓 사랑의 경우,
경험이라 생각해 버리고
자신이 파괴되는 걸 막아야 한다.

온갖 달콤한 말들과 유혹이
사랑이 아닐 때,

우리는 절망하지만 동시에 삶의 쓴맛을 경험한 것이다.

42

결국 인생에서 남는 건 자기 자신이다.
자기와의 관계가 좋아야 한다.
매 순간 자신을 기대하고 사랑할 수 있어야 한다.

자신을 사랑하는 자는 세상을 긍정하고
자기가 할 일을 찾아서 해낸다.

그는 조용히 사회에 기여한다.

43

삶의 가장 작은 의미라도
스스로가 발견한 것이라면
또 그것을 해낸다면 그것은 굉장해진다.

삶은 자기 의미 추구와 그것에의 시도다.
결과는 중요하지 않다.

발견과 시도 자체가 가치의 전부다.

44

우리가 믿을 만한 것은 근거 있는 지식이다.
그것을 통해 사실관계를 파악하고
어떤 선택을 해야 할지 결정한다.

삶과 일, 그리고 시간에
어느 정도 한계가 있다는 것을 알아야 한다.
엄격한 판단을 거쳐서 해야 할 일을 결정한다.

삶은 한계 속에서 자기 목적성을 이루도록 우리를 이끈다.

45

어떤 삶이 가치 있는지는
스스로가 판단하고 결정할 일이다.
타인이 우리에게 그의 삶의 방식을 강요해서도 안 되고
우리가 우리 삶의 모습을 타인에게 강요해서도 안 된다.

우리는 각자가 자기 삶을 살되
사회는 그 다양성으로 균형을 이룬다.

각자가 선택한 삶의 방식을 응원할 필요가 있다.

46

내면은 혼자만의 시공간이다.
그 누구도 들어올 수 없고 흩뜨리지도 못한다.
오롯이 나로 존재함이 진동하는 곳이다.

사멸해가는 것들이 동경하고
마지막으로 사랑하며 머무르는 곳이다.

의미가 생성되는 곳이다.

47

서툰 사랑이었다.
그리고 서툰 이별이었다.
시간이 흘러 그 모든 건 향기만 남았다.

어디를 살펴보더라도
그 시절의 우리는 어디에도 없다.

그 모든 것이 한낱 꿈처럼 되었을 때
그리움은 소멸되었다.

48

주위의 소란이 가라앉고 어두컴컴해졌다.
한낮의 시끌벅적함이 가신 저녁 시간.
책상 앞에 앉아
계획을 쓰고 감정을 쓰고 중요한 일을 메모한다.

삶은 매일 어두컴컴해지면
사색과 성찰 그리고 자기만의 순간을 마련한다.

그 속에서 자신의 순간들이 잉태된다.

49

삶의 작은 순간들이 모여 꿈을 이룬다.
꿈을 꾸고 그것을 이루기 위해 실행하는 순간들은
자아실현의 모습이다.

인생은 충분히 길지만, 끝이 있는 게임이다.
우리는 오늘도 끝을 향해 가고 있다.

너무 두려워하지도 말고 그렇다고 느슨해지지도 않게
삶의 모습을 경영해나가야 한다.

50

누구에게나 내려진 숙제는
인생의 어느 순간이 되면
자기 삶의 모습을 어떤 내용으로 채워야 할지에 대해
고민하는 것이다.

이것저것 해보면
자신의 소질에 맞고 좋아하는 일이 반드시 있다.

그것을 잘할 수 있게 훈련하고
그것을 일의 형태로 만들면 된다.

51

때때로 마음의 상태를 살핀다.
힘든지, 불안한지, 슬픈지에 대해
스스로 자신의 마음을 토닥이기만 해도 마음은 낫는다.

자기 인생을 가는 여정에서
자신과 함께 그 길을 걷는다.

혼자이지만 혼자가 아니다.

52

자신을 사랑한다.
여러모로 부족함에도 자신을 사랑할 줄 안다.
스스로 무언가를 해낼 의지는 자기를 사랑하는 데서 온다.
자기를 사랑하는 일은 내적 에너지를 만드는 일이다.

내적 에너지는 무언가를 이룬다.
그것은 우리 가능성의 일부다.

자신을 사랑하는 일은 자신을 이루는 일이다.

53

때로 낯선 일에 도전해 본다.
그 일을 끝내면 자신의 한계를 조금 더 부순 것이다.
동시에 자신의 한계를 더욱 분명히 알게 된다.

자신이 집중해야 할 그 일을 더욱 분명히 알게 된다.
이것저것을 해본 결과 그러하다.

자신만의 일에서 승부를 보아야 한다.

54

우리에게는 하나의 과제가 있다.
그것은 우리 자신의 인격과 개성을
우리만의 것으로 성장시키고
우리만의 일을 찾는 것이다.
그렇게 하기 위해 청춘의 꽤 오랫동안
자신과 자신의 길에 대해 탐구해야 한다.

나 자신이 되는 것,
어떤 인식이나 행위를 통해서.

우리는 그 과제를 해내야 한다.

55

삶의 숙제는
자기만의 삶의 모습을 정하고 그것을 해내는 일이다.
그것은 다수에의 가치와 개인적 가치를 포함하는 일이다.

온전히 자기 삶을 살아내면
매 순간 그 삶은 완성이다.

그렇게 자기 삶을 산다.

56

혼자라고 느낄 때
그것을 부정적으로 생각하기보다는
스스로를 발견하고 성장의 시간으로 삼을 필요가 있다.

제대로 자신을 바라보는 시간이고
자신에게 집중할 수 있는 시간이다.

혼자일 때 비로소 자기 삶에 대해 진지할 수 있다.

57

남들보다 잘 혹은 남들만큼 살고 싶을 때가 있다.
사실 삶의 모습은 표준이 존재하지 않는다.
남들이 이룩한 삶의 모습이 문득 부러울 때
그 남들은 그대가 지닌 아직 피어나지 않은 재능을 부러워한다.

마음에 품고 있는 자신의 재능이
당장 물질적 결과를 주지 못해서 좌절할 수도 있지만

오늘도 내 길을 가자고 마음먹으면 된다.

58

용기를 내야 할 때가 있다.
남들의 시선과 가난과 불확실함으로부터
스스로를 지키고 인내해야 할 때가 있다.

자신과 자신이 선택한 삶의 방식을 믿고
앞으로 나아가야 한다.

언젠가 그것은 반드시 원하던 결과를 가져올 것이다.

59

너무 많은 과제에 둘러싸일 때가 있다.
하필이면 그것들은 제한된 시간 내에 끝마쳐야 한다.
이때는 일의 순서를 정하고 각각의 일에 시간을 제한해서
그 모든 일을 해낼 수 있다.

그리고 언제고 필요한 건 스스로가 제시하는
자기 과제에 대해서다.

자기 과제는 자기 삶에 본질적이다.

60

삶은 쉽지 않지만, 또 그렇게 어렵지도 않다.
자기가 설정한 삶을 살아갈 때 그러하다.
타인의 삶의 모습과
자기가 설정한 삶의 모습을 비교하지 않는다.

자기 삶을 온전히 살아갈 때
삶의 고민은 반으로 줄어든다.

매 순간 그렇게 삶을 이룩한다.

61

올겨울을 따뜻하게 보내기를.
사랑하는 가족과 따뜻한 음식, 그리고 따뜻한 잠자리가 있기를.
그리고 인식적으로 가난하지 않기를.

존재궁극적인 질문에 자신을 몰아대지 않기를.
살아가는 이유가 가끔은 간단한 것이길.

올겨울,
생각이 따스하기를.

62

사유의 목적은
자아의 길을 가는 내내 방향과 내용을 찾는 것이다.
삶은 계속해서 새로운 길을 받아들일 것을 요청한다.
그 과정에서 사유는 방향을 지시하고 내용을 채운다.

사유는 저녁 무렵 산책길에 깃들고
혼자 커피를 마시는 시간에도 깃든다.

혼자만의 시간이 있을 때
사유는 이어지며 그 사유는 삶을 이끌어간다.

63

자기만의 삶이다.
우리의 삶을 어떻게 정의하고 어떻게 살아냈는가.
그것이 삶의 마지막에 우리 자신에게 해야 할 질문이다.

나는 온전히 나의 삶을 살아냈습니다.
내 삶을 나만의 내용으로 채웠습니다.

그런 그의 표정에는 마지막 미소가 깃든다.

64

고난은 자신을 단련한다.
고난으로 힘들게 이룬 삶의 모습이 진정 자신의 성공이다.
고난은 계속되지 않으며
자신을 이루어갈수록 고난은 자취를 감춘다.

고난으로 단련된 생이다.
단단한 삶이다.

온전히 자신이 이룬 것들로 쌓은 탑이다.

65

사람은 하루 중 혼자 있는 시간을 가질 필요가 있다.
하루를 정리하고 내일을 어떻게 채울지
생각하는 시간을 가질 필요가 있다.

사색이나 반성이 없는 삶은
자기 삶의 내용을 인식하기 어렵고
삶을 방향 있게 꾸려나갈 힘을 갖기 어렵다.

하루 중 자기만의 시간은
삶을 방향 속에서 이끌어가는 일이다.

삶의 일정 부분 고독할 필요가 있다.
그 시간은 자신과 자신의 삶에 대해 온전히 사유할 시간이고
무언가 새로운 것이 잉태되는 시간이다.

새로운 아이디어가 솟아나고
자신을 있는 그대로 인식할 수 있는.

자기 고독은 자기 삶을 보다 풍성하게 한다.

67

커피 한 잔의 시간,
혼자 카페에서 커피 한 잔을 마신다.
그는 노트와 펜을 가지고 있다.

무얼 쓰든지 간에 그는 유의미를 창조하는 중이다.
커피 한 잔의 시간 속에
새로운 순간이 창조되고 있다.

그것은 어제 그토록 바라던 일이다.

68

삶의 존재궁극적인 목표는
매 순간 자신을 이루는 일이다.
그 일은 자기만의 일로써
상대방의 삶의 모습과 비교해서는 안 된다.

늘 자신과 자신이 인식하는 것에 귀를 기울이고
그럼으로써 자기 일을 해내게 된다.

삶의 목표는 그렇게 가장 먼저
자신에게 귀를 기울이는 일이다.

69

누가 뭐라고 하든 자기 삶을 산다.
우리가 책임을 지는 것은 자기 삶에 관해서다.
다른 누군가의 삶을 사는 게 아니다.

오늘도 자기 삶을 살고
하루치의 유의미를 만들어낸다.

자신을 위해 그리고 모두를 위해
자신이 선택한 삶이 옳다고 믿는다.

70

시간이 지나고
그동안의 노력과 그렇게 해서 이룬 삶의 모습을 본다.
쓰라린 결과지만 자기 삶을 온전히 살았다.

그러면 충분하다.
자기 삶을 살았다면 충분하다.

자기 삶에 대한 자기 평가를 받아들고서
내일도 또다시 새로운 길을 간다.

71

삶에 도전하고 그리고 실패를 한다.
마음먹은 대로 되지 않는 인생길이다.
고난을 겪는다.

고난 속에서 자신이 알고 있는 모든 언어가 정화되고
자기만의 언어가 들어찬다.

고난을 겪음으로써 자기 언어를 길어 올리게 된다.

72

삶이 어려울 때는
그 순간이 지나가기를 바라며 웅크려 있는다.
그것을 겪어내기 어려울 때는
그저 온몸의 신경을 끄고 웅크려 있는다.

모든 두려움은 지나간다.
삶에 다시 빛이 들어찬다.

삶이란 때로 어떻게든 살아내기이다.

73

불안과 두려움이 있는 삶이다.
그 속에서도 자기 삶을 온전히 세우려면
너무 늦지 않게 자신이 잘하는 일을 만들어야 한다.

자기 자신의 일은
불안과 두려움으로부터 우리를 지킨다.

그것은 삶을 세우는 일이기 때문이다.

74

순전한 기쁨이 마음속에 들어찬다.
그것은 마음을 온통 가을 국화 향기로 채운다.
그 순간을 사랑하기를.

다시 어둠이 마음에 차오르기 전에
가을 국화 향기에 푹 잠기길.

삶이 허락하는 미소를 조금 더 누리길.

75

공부를 한다.
부족한 지식을 채우고 사유의 능력을 키운다.
날마다 좀더 강해진다.

어느 순간 자기 공부를 시작하게 된다.
자신의 꿈을 이루는 내용을 채울 공부다.

그러한 자기 공부는 온전히 자신을 이룬다.

76

자기 삶의 중심부로 들어간다.
사소하거나 가장자리가 아닌
자기 삶의 가장 중요한 진동으로 들어간다.

따뜻하고 뭉클한 것이 진동한다.
매 순간 자기를 형성한다.

자기 존재가 깨어나는 순간이다.

77

어둠을 품는다.
따뜻하게 고이고이 품는다.
꿈을 꾼다.
이 어둠 속에서 무언가가 태어나기를.

어둠 속에서 잘 보이지 않던
어떤 것의 형상이 보이기 시작한다.

어떻게 살아야 할 것인가,
그 질문에 대한 답이었다.

마음이 예쁘다.
그건 아름다움에 대한 가장 큰 찬사다.
외모에는 마음이 담긴다.
그래서 예쁜 마음은 외모를 아름답게 만든다.

누군가를 배려하는 일,
그것이 마음을 아름답게 하는 일이다.

누군가를 배려하고
미소를 담아 오늘도 그렇게 예쁜 마음이다.

79

사랑을 너무 이상화해서는 안 된다.
부족함이 있는 사랑이다.
그것이 어떤 형태라 해도 사랑이라면
그것은 의미 있다.

우리는 그러한 불완전한 사랑을 겪으며
사랑에 대해 자기 할 말을 가지게 된다.

그 사랑이 주었던 의미는
그리움의 한 조각 혹은 좋은 경험이 된다.

본질은 변하지 않지만
스스로의 노력에 의해 그 내용과 범위가 확장된다.
즉 우리의 삶은 성장 속에 있다.
날마다 앞으로 나아간다.

자신을 실현함으로써
본질은 구체적인 옷을 입는다.

본질은 계속된 탐구 속에서
새로운 형태로 발전된다.

81

마음의 결을 쓰다듬는다.
흠이 있는 곳은 부드러워진다.
자신을 토닥이는 것이다.

혼자 있을 수 있는 자유가 있다.
자신의 마음을 들여다보는 시간이다.

자신을 사랑하는 시간이다.

82

삶에 높은 기준을 세운다.
그것을 이루기 위해 노력하지만 잘되지 않는다.
꼭 이루고 싶지만
삶의 과정이 만만치 않다.

원하는 삶의 모습을 조금 낮추자.
기준을 조금 낮추자.

삶의 자잘한 성취로
삶을 세워가자.

83

힘들 때
언어가 주는 위안을 찾아 책을 뒤적인다.
그러면 꼭 지금 상황에 맞는 구절을 발견한다.

언어가 주는 위안이다.
내일은 어떻게 살아야 할지 알게 된다.

지금을 이해하고 앞으로의 방향을 알게 된다.

자기를 응시한다.
과거의 자기와 달라진 점을 발견한다.
분명히 성장했다.
시선이 자랐고 실력이 자랐다.

성장하는 삶이다.
자기 성장을 틈틈이 인식한다.

삶은 자기가 성장하는 과정이다.

85

많은 시간이 흐를 것이다.
그리고 많은 것이 달라질 것이다.
자기 삶을 돌아보며
미소를 지을 수 있다면 좋겠다.

삶을 돌아보며
이룬 것들과 이루지 못한 것,
사람들과의 관계를 떠올린다.

그래, 내 삶을 살았고 사람들을 사랑했다.
그러면 됐다.

클레이의 정원

발 행 | 2024년 1월 11일
저 자 | 장현정
일러스트 | 장현정
펴낸이 | 한건희
펴낸곳 | 주식회사 부크크
출판사등록 | 2014.07.15.(제2014-16호)
주 소 | 서울특별시 금천구 가산디지털1로 119 SK트윈타워 A동 305호
전 화 | 1670-8316
이메일 | info@bookk.co.kr

ISBN | 979-11-410-6529-4

www.bookk.co.kr